名家

课徒稿

临本

王蒙

山水画法

张德宁 ◎ 编著

上海人民美術出版社

本书集合了编著者张德宁先生30余年研究王蒙画法的经验总结与画法解析。内容包括概述，画具介绍，画法解析与原作赏析，同时归纳王蒙常用的经典皴法，结合其代表作进行分步讲解，量大质精，技法纯正，适宜山水画爱好者学习临摹，是国画学习者入门和提高的高水准范本。

图书在版编目（CIP）数据

王蒙山水画法 / 张德宁著. — 上海：上海人民美术出版社，2018.5（2020.3重印）
（名家课徒稿临本系列）
ISBN 978-7-5586-0809-4

Ⅰ.①王… Ⅱ.①张… Ⅲ.①山水画–国画技法 Ⅳ.①J212.26

中国版本图书馆CIP数据核字（2018）第070027号

名家课徒稿临本

王蒙山水画法

编　　著　张德宁
主　　编　邱孟瑜
策　　划　潘志明　张旻蕾
责任编辑　张旻蕾
技术编辑　季　卫
调　　图　徐才平
出版发行　上海人民美術出版社
社　　址　上海长乐路672弄33号
印　　刷　上海印刷（集团）有限公司
开　　本　889×1194　1/12
印　　张　6.67
版　　次　2018年5月第1版
印　　次　2020年3月第2次
印　　数　3301–5800
书　　号　ISBN 978-7-5586-0809-4
定　　价　64.00元

目 录

概 述

宋代与元代，是中国传统山水画的巅峰时期。宋画崇尚写实，重造化、讲理法，画面构成必须合自然之“理”。元画则转而关注写意，重心绪，讲意趣，干笔皴擦，随意而为，画面融合了画家个人的意识、情操。

王蒙，字叔明，“元四家”之一，1308年生于浙江吴兴（今湖州）。他的外公赵孟頫是书画界的一代宗师，外婆管道昇、舅父赵雍、赵奕，表弟赵麟，皆以书画名垂青史。王蒙幼承庭训，“诗文书画，尽有家法”，但他不墨守赵氏成规，进而接受了系统的唐、五代、宋以来的优秀传统绘画的修炼，从其早年的《溪山风雨册》中可见唐王维，五代董、巨，北宋李、郭，米家山水的笔墨风范。这极大地拓展了王蒙的眼界，为他在元代文人画坛独树一帜奠定了深厚的基础。

宋代多用绢做画本。元朝实施民族歧视，汉文人被贬为第九等，生计窘迫，不得已改用纸本，但也有意外的发现：稍干的墨笔在纸上留下的带有“飞白”的皴、擦，其空灵、稀松，正契合元代文人画家空寂、淡泊的心绪。于是，一些画家，如黄公望、倪瓒等，以“干笔皴擦”为主，创为简淡率意的“意笔”，营造一种静穆萧疏、古淡天真的理想境象。而王蒙，构图上独创一格：“繁密”，重峦叠嶂，苍翠深秀，透出五代、两宋巨制的气息；虽然也使用干笔皴擦，但是笔墨多变，干笔、湿笔并用，中锋、侧锋兼施，善用多种皴法，又将前人的披麻皴，变化为细而短的“牛毛皴”和表达能力更丰富的“解索皴”；墨色由淡加至浓墨、焦墨，尤其是焦墨的擦笔，苍莽松秀，愈益彰显江南林木的浓郁茂盛。

王蒙生逢战乱，34岁隐居杭州郊外余杭的黄鹤山，自题“黄鹤山中樵者”，到明初离开，将近三十年。在这段时间内，他芒鞋竹杖，卧白云、望青山，感受大自然的四季荣衰、风云变幻；潜心绘事，以隐居、草堂、读书、山居等为题创作了不少画作，面貌多样。同时，他还时而下山，走访苏州、松江、吴兴一带的文人高士，如倪瓒、顾仲英、杨维桢、黄公望、文伯、郑元祐、吴镇等，过从甚密，相互交流，不断开拓新空间。王蒙的画风渐趋成熟，声誉日重，当时就获得画坛极高的评价。倪瓒在王蒙《岩居高士图》上题诗：“临池学书王右军，澄怀观道宗少文。王侯笔力能扛鼎，五百年来无此君。”

倡为“南北宗”论的明代董其昌，曾收藏王蒙的《青卞隐居图》，他在画轴的诗塘内题：“天下第一王叔明画”。王蒙对于唐以来传统文人绘画具有深厚的积累，绘画技法最完备。其宗法五代董源、巨然一派的山水画风，树立了文人画的成熟模式，对明、清两朝的绘画产生了巨大的影响。随着明代经济的复苏，社会的书画需求日益兴旺。画家渐渐意识到增强绘画技术含量的重要性，于是，不约而同地纷纷“求教”于王蒙。明代著名画家沈周，41岁时画《庐山高图》为其馆师陈宽祝寿，用的就是王蒙的画风。该图成为沈周一生绘画的代表作。清代“四王”及石涛、髡残等著名画家，其精品力作，也多少受了王蒙画风的影响。

当代的中国画大师张大千，对于元代王蒙的书画可谓顶礼膜拜。1919年他21岁时，随侍曾熙、李瑞清两师前往上海大收藏家狄平子书斋观画，看了一百几十幅宋元明清的书画。张大千感叹：“皆一时妙绝之尤物，王叔明《青卞隐居图》尤为惊心动目！”他铭记于心，13年后开始收藏第一张王蒙的画《草篆山水图》，吴湖帆为之题跋。从此一发不可收拾。据专家统计，张大千曾经收藏过的王蒙作品，包括《夏山隐居图》、《林泉清集图》（胡冷庵本）、《西郊草堂图》等，至少在9幅以上。自30年代至40年代末期，张大千进入临仿王蒙画作的高峰时期。据统计，能确认的临本至少在16幅以上，其中《春山读书图》临画2幅，《夏山隐居图》临画3幅，《林泉清集图》临画3幅。仿画而自署张大千仿王蒙的画作至少在15幅以上。从以上统计可以获知张大千在34岁起至关重要的十多年间，醉心于王蒙的画，再三地临、仿，敏悟力学，深得王蒙的精髓。作为一个职业画家，张大千认真梳理了中国绘画史，明白元代画家中除了赵孟頫外，王蒙最值得自己膜拜。他认为，“元四家中黄鹤山樵法门最大，明清作者无不师之，即不羁如方外二石（石涛、石溪），亦不能越其藩篱也”。这一点，很值得当今有志于书画者思考。

一、临王蒙画作之绘画用具

王蒙已是六百多年前的古人，今天要临画王蒙的画，要取得接近于王蒙原作的笔墨效果，就不得不了解一下王蒙当年的绘画用具，主要是纸、笔和墨。现在要完全使用王蒙当年的绘画用具，已经是不可能的了，但是我们可以寻求尽可能接近于此的代用品。

（一）纸

王蒙的画，当时用的是什么纸？历史上最名贵的纸，要数五代时南唐后主李煜视为珍宝、特辟“澄心堂”储藏以供宫中使用的“澄心堂纸”，纸长50尺，宜书宜画，异常珍贵。但是时过境迁，三百年后，“澄心堂纸”已经失传，元代更是百业凋零，很多纸坊停业，王蒙也就没有了更多的选择余地。当时社会上普遍使用的书画用纸，主要有两种，一种是“麻纸”，顾名思义是以大麻、亚麻、苎麻等麻类纤维为主要原料制成的纸，是中国最早用于书画的纸。西晋文人陆机的章草《平复帖》经鉴定就是用的麻纸。另一种是“皮纸”，取桑树、檀树、褚树等生长期在三年左右的树皮中的韧皮纤维为主要原料制成的纸。唐初冯承素的《王羲之兰亭序》摹本，就是用的皮纸。由于麻纸的制作不够精细，纸质粗糙，幅面也小，而进入两宋之后，皮纸的制作日益成熟，能制造出精良的大幅皮纸满足书画的需求。于是画家纷纷放弃麻纸，而改用皮纸作画。虽说皮纸有藤纸、宣纸、棉纸三种，但是要论供应中国书画用纸的中流砥柱，无疑是宣纸。唐代的安徽宣州府，生产一种质地优良的纸，适宜书画，每年进贡朝廷，依产地名为“宣纸”。宣纸的主要原料是青檀的树皮，乃安徽南部一带的特产。据资料记载，明代以前的宣纸采用100%的青檀皮制成，此纸质地紧密，能润湿，但不会渗化，正适宜元代画山水画时作“干笔皴檫”，留下的笔墨稀松空灵。王蒙当时应该就是使用此类纯以青檀皮制造的宣纸。遗憾的是，进入明代以后，宣纸的原料发生极大的改变，在青檀皮中混合了一定数量的沙田稻草，并以檀皮含量的多、少定名：含80%檀皮的称“特净皮”，而仅含30%檀皮的称“棉料”。纸张的化水性能大增，笔墨极易渗化，不再适宜临画宋元的古画。

我在20世纪90年代初开始自学宋元绘画，两年后专修王蒙。宣纸太化水，留不住笔墨，不能用来临画王蒙的画。听老人讲，要用经过胶、矾、云母再加工的“熟宣”来画。于是，我去纸店买来仅有的熟宣“蝉衣宣”。但这纸太薄，而且加有云母，纸性很硬，一点也不滋润，总觉得不理想。事有凑巧，当时有一个安徽泾县的纸坊来上海推销宣纸，我就请他按我的要求去定制。经过反复几次的试验，终于定下一种“胶矾纸”，至今一直在用。不能说这纸完美无缺，这其实是一种非常普通的“胶矾纸”，只是它基本上满足了我想表达的王蒙的笔墨特色。

（二）笔

临王蒙的画，用笔“勾、皴、擦、点”，宜用狼毫笔，“染”则可用羊毫笔或兼毫笔。

“勾、皴、擦”的狼毫笔应选择笔锋稍长、笔肚较瘦、锋颖较新（新笔）的。元画讲究绘画运笔的书写性，笔锋稍长的笔，弹性较强，运用湿笔中锋提按顿挫，能留下显眼的书写笔迹。这在王蒙的《青卞隐居图》中有非常美妙的体现。同样的，笔锋稍长，当运用湿笔侧锋勾、皴、擦时，留下的线条会显现非常微妙的粗、细变化。笔肚饱满原本是希望多储一些墨水，但是元画在作“干笔皴擦”时，储水太多反而不便，故求瘦身。锋颖要新，是我根据多年使用的经验，当你用笔的侧锋作干笔皴擦时，锋颖新的笔在纸上感觉特别的顺手，留下的墨痕特别的“松秀空灵”。笔用的时间长了，笔毛会渐渐变硬，画的墨痕会越来越“紧”，越来越“呆板”。那就告诉你，该换新笔了。“元四家”中，唯有王蒙中锋、侧锋兼施，湿笔、干笔并用，绘画技法最为完备。

用以“点”的，则宜用笔头稍粗、笔锋已钝的狼毫笔。笔蘸浓墨，以中锋点，形成粗点。然后再重按笔锋，使之散锋，再在粗点上加擦笔，或再以细笔加擦，形成王蒙独有的点而后擦，苍莽混沌的艺术效果。这应该归功于王蒙将近三十年的隐居生活。深山中眺望远方的树木丛林，枝繁叶茂，蔚然深秀，只能感觉到苍苍莽莽的一片，不可能看清一枝一叶。

画上“染”墨色或彩色，要借助于水，一般不留笔痕。但也有须要层层积染，以烘托结构、层次的情况，可以使用羊毫笔，必要时也可使用兼毫笔。

（三）墨

中国书画用的墨，有两种：松烟墨和油烟墨。历史久远的松烟墨，浓而无光，装裱易化，不适宜绘画。而油烟墨中，以墨锭上注明“油烟 101”者为佳。

在砚台里注入清水，用“油烟 101”墨锭将清水磨至浓墨水，然后用毛笔蘸墨水在宣纸上写书法作品。待干后，可以清楚地看到同样浓度的墨水，随着运笔的快、慢，在宣纸上留下的墨迹会有明显的浓、淡变化。所谓“墨分五色”，层次清晰，富有墨韵。其中淡的墨色，会透出一种紫色的墨气。这种笔墨韵味，对于中国画至关重要，体现了中国画的“精气神”。而使用工场生产的墨汁，黑气重，淡墨灰，层次极差。有的甚至用化学合成墨水，那就离开中国书画太远了。

王蒙的画，多用浓墨、焦墨，层次丰富，如要临画王蒙作品，更要强调使用现磨的墨水，不然极易在画面上生成墨团。

二、解析王蒙之绘画技法

自 2002 年上海博物馆举办了“晋唐宋元书画国宝展”，大家都明白了宋、元是中国传统山水画的巅峰时期。书画爱好者从宋、元传统山水画的发展历史中感悟到，要想“入门”，必须多读书，丰富历史文化知识，以理解古代画家作画的法度和意识；必须强化书法训练，提升笔力，熟练掌握笔法、墨法，由此即可进入临摹宋、元古画的“敲门”阶段。宋画讲法度，勾、皴、擦、点、染，笔迹清晰可循，初学者循序渐进，容易“入门”。但元画的初学者，似乎没有这么幸运，开始临画时，笔墨不知如何下纸。这里有一个客观原因，就是元代绘画似乎“逸笔草草，不求形似”，率意的用笔，笔迹松灵，必须观摩原作才能领悟勾、皴线条的起笔、运笔和收笔的笔法。而一般缩小了画面印刷的画册，根本看不清用笔的轨迹，这也就是以往学元画者为难的地方。不过这困难在今天，已经不复存在，以扫描后复制的原大图片，足以提供初学者借鉴之用。但是学王蒙者，依然有不少半途而废的。这主要是因为王蒙的画墨色由淡而浓，层次比较丰富，而且多用浓墨、焦墨，初学者如果叠加次数太多，极易结成墨团。那就须要在临画时积累经验，注意中间墨色的运用，尽可能减少叠加的次数。

临王蒙《花溪渔隐图》

（一）山石

披麻皴

其状如麻披散而错落交搭，故称“披麻皴”。

五代董源和巨然依南方地质、地貌，始创披麻皴。山顶常有白色的圆块，形如矾石顶部，谓之“矾头”。宋代流行“鬼脸石”、“云头皴”、“斧劈皴”，董巨的“披麻皴”无人在意。直到元代文人山水画兴起，南方山水的圆浑无奇，“不装巧趣，皆得天真”，正适合披麻皴表达，这才获得了一致的认同。披麻皴有长、短之分，“元四家”中倪瓒使用“短披麻皴”，而黄公望惯用“长披麻皴”。王蒙则别创一格，以自己绘画的风格，从披麻皴变化出独特的“牛毛皴”和“解索皴”。

披麻皴画法步骤图

临王蒙《溪山风雨图》册页之一

《溪山风雨图》是王蒙传世仅有的一部册页，共 10 开，系早年所绘，展示了他深厚的传统功力。王蒙以承继董源、巨然的南宗山水著称。江南山峦，土复石隐，山顶有“矾头”（石块），山体上加密密的披麻皴（江南山体的纹理）。古人欣赏自然恬淡，所谓“不装巧趣，皆得天真”。

临王蒙《谷口春耕图》（局部）

《谷口春耕图》为王蒙早期的作品。苔点不多，擦笔尚无。皴笔细长，依结构排列，是披麻皴的法度，尚无明显的解索皴的错落。画面墨色整体偏淡，与王蒙后期作品点、擦偏浓稍异，不过画面依然秀润可观。

临王蒙《夏山隐居图》（局部）

《夏山隐居图》是绢本。绢本宜湿笔勾、皴，但不宜干笔皴擦。王蒙此图密集的湿笔披麻皴，显得凝重。加上浓重的点，已初现王蒙的笔墨特色。画的幅面虽不大，但墨和色已颇醒目。

牛毛皴

细若盘丝，厚若牛毛，从“披麻皴”变化而成。

牛毛皴其实就是短披麻皴的变体，更短，更细，卷曲而更遒劲。在元四家中，王蒙以“繁密”著称，重山复岭，笔墨的变化也特别丰富。图中山石的形体变幻无穷，既有奇崛嶙峋的怪石，也会有平缓舒展的草坡，需要有不同的皴法来描绘。同时，王蒙的解索皴笔力雄强，繁线密点，奇崛粗旷，显现笔墨的苍莽，而淡墨的牛毛皴的出现，正可与解索皴相呼应，刚柔相济。

牛毛皴画法步骤图

临王蒙《夏日山居图》（局部）

《夏日山居图》是王蒙61岁的作品，正是他最成熟的时期，与《青卞隐居图》、《林泉清集图》构成王蒙一生最精华的三幅水墨山水。由淡墨而至焦墨的牛毛皴，与浓墨的点、擦相融合，使此图的山体郁然深秀，充满了灵气。倪瓒赞叹："王侯笔力能扛鼎，五百年来无此君。"

临王蒙《夏山高隐图》（局部）

《夏山高隐图》是一幅纵149厘米，横63.5厘米的绢本立轴。画面的三分之二是山体，上部是耸立的高岭，湿笔牛毛皴结合解索皴，浓墨的点很少，无擦笔。与纸本《夏日山居图》的干笔浓墨皴擦形成的苍莽超脱不同，本图绢本适合湿笔勾皴，营造的环境显得那么深邃幽静。林木苍郁，溪水潺湲，好一个高隐山居。

临王蒙《青卞隐居图》（局部）

《青卞隐居图》是一个奇迹。王蒙运用一切绘画手法，力图在卞山深谷营造一个外人无法靠近的避难场所。于是乎，山路绝迹，到处都是悬崖峭壁，密林险峰。为此，他在此图中使用了披麻皴、牛毛皴、解索皴、云头皴等等皴法，以适应描绘巍峨险峻、扑朔迷离的山势。短而卷曲的牛毛皴，淡而密集，十分有助于营造迷幻的氛围。

解索皴

行笔屈曲密集，如解开的绳索，故名解索皴。

解索皴，可以说是王蒙山水画的最重要的画法。这是王蒙继承五代董源、巨然开创的披麻皴画法，几十年兢兢业业，博学广取，并融合长年隐居黄鹤山、耳濡目染大自然风云变幻的感悟，变化而成的一种独具个性的画法。这是王蒙山水画进入成熟期的重要标志。从其60岁左右的作品看，如《青卞隐居图》、《夏日山居图》、《春山读书图》、《林泉清集图》等，解索皴已经成为画面的主要皴法，兼用披麻皴、牛毛皴等皴法作为补充。这样，王蒙就能随感而发，避免了形态的刻板，而增加了笔墨的书写性。

解索皴画法步骤图一

解索皴画法步骤图二

解索皴画法步骤图三

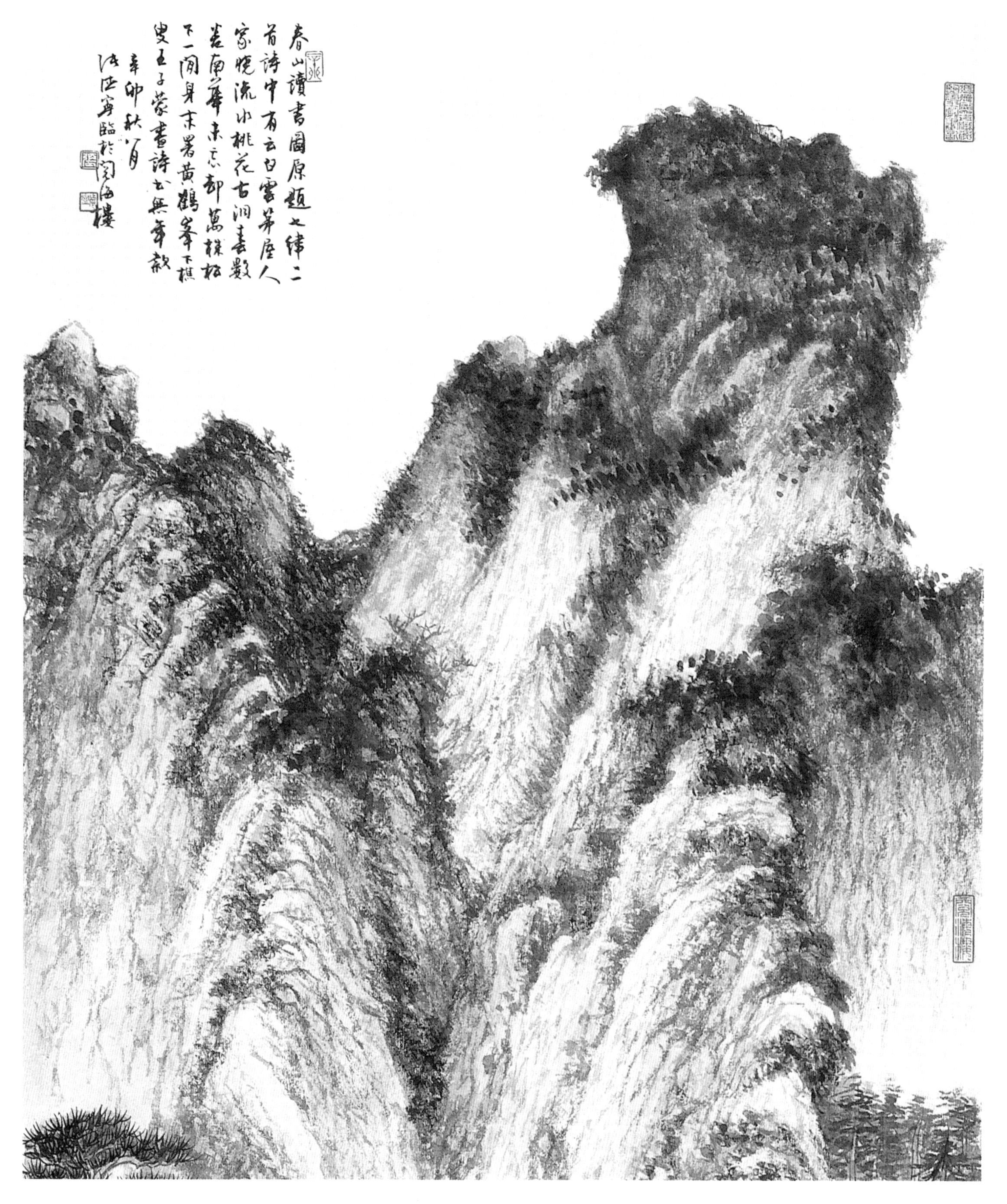

临王蒙《春山读书图》（局部）

《春山读书图》是王蒙典型的“长松高岭”格局。此图着色，但仅在树身、茅屋的茅草顶、窗棱和扶手上着赭石色。应为“浅绛山水”的古制，五代董源创始。山体以王蒙娴熟的解索皴随意勾皴，错落纠结，反而显得自然生动。松林间茅屋窗前一少年正在读书，近处水边草亭中有家人观景，这也许就是王蒙心向往之的隐逸生活。

临王蒙《具区林屋图》（局部）

《具区林屋图》描绘的是太湖岸边的风景。从岸上伸展至水中的是“瘦”、“透”、“漏”、皱“的太湖石，应物象形，该用什么皴法来画呢？唯一合适的，还是王蒙独门的“解索皴”，只有皴线长短纷披才能撑住玲珑剔透、万变无序的太湖石。为此，王蒙又稍作改变，就是创立“短解索皴”。

临王蒙《林泉清集图》（局部）

《林泉清集图》作于《青卞隐居图》后一年，可谓王蒙最成熟时期的作品之一。王蒙作画，连勾带皴，点而复擦，长松高岭间一片苍苍莽莽，生气勃勃。解索皴中混合一些斧劈皴，以增强石棱的质感。明董其昌也临过这幅画，并题赞这幅画“当在《青卞隐居》之上”。

临王蒙《青卞隐居图》（局部）

仔细欣赏王蒙《青卞隐居图》这一局部，可以清楚领悟何谓“卷曲如蚯蚓的皴笔”。一开始，王蒙应物象形，为了丰富绘画表达能力，从披麻皴变化出参差纠结的解索皴，其作品达到了一个新的高度。而在这幅画里，王蒙更进一步发挥想象力，运用解索皴的变化构想出了一个理想中的境界。

云头皴

也称“卷云皴”。笔多屈曲迂回，向中心怀抱，如“夏云多奇峰”，故称云头皴。

云头皴乃北宋郭熙的山水画风。王蒙曾对五代、宋的绘画下过功夫，在自己创作中时有借鉴，经常留下云头皴、斧劈皴等笔墨，丰富了画面山体的形态。但是，代表王蒙个人笔墨风格的，还是他自己从披麻皴中变化出来的解索皴和牛毛皴。

云头皴画法步骤图

临王蒙《林泉清集图》（局部）

王蒙典型的“长松高岭”图式。从山石的焦墨点擦看，应该是王蒙后期的作品。但皴笔至山顶，为增强向上的气势，又取“云头皴”的格局。这才是王蒙，形式多变，以适应多变的表达需要。

临王蒙《素庵图》（局部）

此图应归属“长松高岭”格局，但从其用色偏重，浓墨点多而擦笔少，应是中年之作。山体整体上用的“云头皴”的格局，更多的还是北宋郭熙的遗韵。

（二）树木

树木画法一步骤图

树木画法二步骤图

临王蒙《林泉清集图》（局部）

这里就是《林泉清集图》的“长松”。松针不再是北宋的“攒针法”，而变成元代的扇形略带弧曲的由下向上的勾笔，画成由枝杈分割成排的松叶。虽然已出现粗笔焦墨的点、擦，但悬泉旁还画着双勾的枝叶。这是又一奇。

临王蒙《夏日山居图》（局部）

《夏日山居图》是水墨山水画的杰作。焦墨的勾、皴、点、擦，笔墨苍莽混沌，不再见双钩的树叶。

临王蒙《素庵图》（局部）

这也许是“长松高岭”格式的早期作品。苍松之外，树叶有墨笔点叶，还有勾叶填色，尤其是朱砂填色，非常醒目。

临王蒙《春山读书图》（局部）

浅绛山水画的初期，就是只施浅赭色的。画面颇有些古色古香。

临王蒙《谷口春耕图》（局部）

王蒙题诗于画上，图下的草堂应该就是王蒙隐居地黄鹤草堂，他在这片谷口读书、亲耕秫田。

临王蒙《东山草堂图》（局部）

按图上题款，此图应是王蒙40岁前后所画，有点而无擦，远树还有许多双勾树叶。

临王蒙《太白山图》（局部）

这是王蒙传世的唯一一件手卷。纵 28 厘米，横 238 厘米的画面上，耸立着坚韧挺拔，不可胜数的苍松。画家对苍松的高尚品德的敬仰，融化在满图朱砂色秋叶的热烈中。

临王蒙《溪山高逸图》（局部）

溪山怀抱中的松柏，正暗示着逸士的胸怀。客堂里传出悠扬的琴音，平台上仙鹤翩翩起舞。洋溢着一个“逸”字。

临王蒙《具区林屋图》（局部）

用朱砂点叶，与《太白山图》相似，画面趋向热烈。这手法也就成了王蒙浅绛设色的一个特色。

临王蒙《秋山草堂图》（局部）

“霜叶红于二月花”，有浓墨点后复点浓朱砂色的，有淡墨双钩后层染浅朱砂色的，极尽变化之能事。

临王蒙《花溪渔隐图》（局部）

看到王蒙是这样细笔画桃花，还用得着担心元画“逸笔草草”，而将墨竹画成芦苇吗？

临王蒙《夏山高隐图》（局部）

枝叶繁茂，是夏山的特色。主色调是赭石、花青，此时用不上朱砂。墨叶有长线的柳叶，有蘸墨法的湿笔点叒，还有书写性的写叶，尽显夏日的浓郁。勾叶则有圆叶、介字叶，薄染花青，疏密、浓淡错落得当。

临王蒙《青卞隐居图》（局部）

这是王蒙所画极富想象力的丛林。树干密集，枝叶茂盛，丫杈错杂，荆棘丛生，似密不透风，无路可循。一老汉柱杖叹息。荆棘以焦墨擦笔为之，而丫杈则以书写的笔法写成，一片苍莽凝重。

临王蒙《溪山风雨图》册之四

册页四中用宋画的“鹿角法”画枯枝，册页八中，松叶用的宋画的“攒针法”，枯枝也用宋画的“鹿角法”。可知王蒙于宋画有广博的修养，乃其早期所作，因为后期作品中王蒙有了极具个性的笔墨，不再有此类宋法。

临王蒙《溪山风雨图》册之八

（三）泉瀑

勾线法步骤图

留白法步骤图

临王蒙《东山草堂图》（局部）

《东山草堂图》以留白法画悬泉，黑为石，白为水，飞流直下，遇石阻而折流。

临王蒙《溪山高逸图》（局部）

《溪山高逸图》则以勾线法画溪流，曲折随势，拾级而下。

临王蒙《青卞隐居图》（局部）

《青卞隐居图》融合留白法和勾线法，危岩峭壁，奔泉时隐时现，用留白法；至山脚坡缓，曲折迂回而奔池塘，则用勾线画水纹，至水口甚至画“鱼鳞纹”。

临王蒙《林泉清集图》（局部）

《林泉清集图》则相似，山泉在山岩间左右奔流，用勾线画水纹，至悬崖上水聚积，又从一岩口飞泻而下，则用的留白法。

临王蒙《具区林屋图》（局部）

《具区林屋图》画太湖边的湖光山色。湖水涟漪，用的是鱼鳞纹“网巾水”画法。

临王蒙《夏山高隐图》（局部）

《夏山高隐图》是一幅纵149厘米的大图。上是山之高处，无人烟，有一悬泉飞流而下。山坡溪流缓缓拾级而下，周围密布寺庙、民居。

（四）茅屋、人物

茅屋人物画法一步骤图

茅屋人物画法二步骤图

临王蒙《西郊草堂图》（局部）

“元四家”中，倪瓒的山水画中不见人，黄公望则极其简约，脸部仅勾个圆圈。王蒙则每幅山水画中，必画人物，居所必画茅屋。董其昌评议王蒙：“若于刻画之工，元季当为第一。”王蒙画中的人物，即使仅一寸多高，也一定能清晰地分辨性别、老少、神情、动态、衣冠、身份。

临王蒙《葛稚川移居图》（局部）

此图老老少少共画了13个人。描写东晋医药学家葛洪携全家移居罗浮山的场景。葛洪羽扇纶巾，道貌仙骨，身旁一头鹿为其驮书。唯有一老妇人抱着小孩坐在牛背上，其余的人都在步行。望去，离目的地还很远，古人移居，也是很辛苦的。

临王蒙《具区林屋图》（三个局部）

此图画了7个人。水中撑舟的小僮，岸边水榭中读书的士人，半山居所休憩的妇人，在杂树林水边盘坐一人，小溪幽径下山的山人，左边宅院里夫人和侍女上下呼应。王蒙以其画笔勾画了六百年前百姓的日常生活，充满了时代气息和生活气息。

临王蒙《溪山高逸图》（局部）

此图画茅屋三间，中间是厅堂，左后边是休憩室，内置躺椅，右边应该是读书的书房。这就是元代高士的生活场所。

临王蒙《秋山草堂图》
（三个局部）

此图画了8个人，围绕着做4件事：钓鱼、读书、纺纱、行舟。

临王蒙《花溪渔隐图》（局部）

图下溪流两岸，桃花盛开，美艳绚烂。小舟时泊时行，一人持鱼竿坐船头垂钓，不像渔夫，但画题既是《渔隐图》，该是以此为生。船舱中有家眷向外眺望。我不由得想起当时泛舟漂泊于太湖的倪瓒。

临王蒙《春山读书图》（两个局部）

此图画茅屋数间，有一少年在读书。另画水上草亭一座，主人与客人对坐闲聊，一小童立于主人后。长松高岭，读书、赏景、会友，这是王蒙心向往之的隐逸生活。

临王蒙《林泉清集图》（局部）

为了应和“清集”的主题，画家在林间、泉畔、茅屋中，画了 9 个人。仔细看，虽然身不盈寸，但发髻、面部、服饰、动态、表情依然清晰。

三、王蒙原作赏析

《夏日山居图》

《夏日山居图》

元王蒙的《夏日山居图》作于1368年，时年王蒙61岁，正是王蒙绘画创作的巅峰时期。它与传世的《青卞隐居图》、《林泉清集图》等，同是王蒙个性最为成熟的纸本水墨山水画的经典之作。这一年，正是元朝倾覆、明朝成立的“洪武元年”，其后王蒙入仕明廷，却因丞相胡惟庸谋反案被株连入狱，5年后（78岁）屈死于狱中。我们现在已无法观赏到王蒙这一段时期的画作，而《夏日山居图》也就成为王蒙传世的最后一件作品。

此图纵118.4厘米，横36.5厘米，纸本，墨笔，现藏北京故宫博物院。从元初赵孟頫创始在纸上用“干笔皴擦”的方法画水墨山水，经黄公望、倪瓒等画家的不断探索、创造，至元末的王蒙、方从义、赵原等画家，已经将纸本山水画的笔墨技术发挥得淋漓尽致。尤其是王蒙，他无愧为集大成者，他将董源、巨然开创的披麻皴发展为牛毛皴、解索皴，并将前人的卷云皴、折带皴融合进来，故而他的山水画山的态势丰富多变，更为重要的是他加强了擦笔的运用，推动了山水画由写实趋向写意、并进一步趋向“超象”（“意超象外，元气磅礴，脱化外无垠”——王时敏语）的进程。

《夏日山居图》充分体现了这种风格。图绘夏日山景：依然是王蒙常用的长松高岭式构图，山下是六株高耸挺拔、枝繁叶茂的松树，左边向山里，山麓见一所茅屋，有一个妇人在哄怀抱的婴儿。松树的右边是一条溪流，曲曲折折通向深山，又有茅屋隐现。王蒙的山水画中，居所皆画茅屋，而从不画瓦房、楼阁，他画的是普通平民或书生、隐士的生活。往后山势渐渐隆起，山上树木葱茏，一派夏日的景象。王蒙精于构图，布置茂密，山体讲究脉络，也谓之“龙脉”。本图的山体，就以一个“S”形向上盘桓。山石的皴笔繁密，由淡而浓，多层叠加，加上石廓及草木的连勾带皴擦点染，最后再加上焦墨点擦，望之苍苍莽莽，蓊郁深秀，也分不清是草，是木，是叶，是哪种树，任由观者想象。由写实而趋向写意，这也合乎一切绘画艺术的发展规律。然而我的一位画友却说：其实这样画更显得真实了，从远处看山，哪能看清双钩的树叶？还不是这样的莽莽苍苍的一片？相对于黄公望、倪瓒的简笔山水，王蒙的画显得厚重、凝练，技法完备，表现力深广，无怪乎后代的画家皆心仪王蒙。

此图流传有序，清代曾入内府，后流出宫外，为彭莱臣所得。张大千曾数次去其府中观摩，1947年曾“背临”一本。后彭莱臣曾将《夏日山居图》送售美国弗利尔先生，开价3至4千美金，却被退回。而张大千的临本，则在2011年春季拍卖会上创出8050万元高价。

《青卞隐居图》

《青卞隐居图》

《青卞隐居图》是王蒙59岁时为其表弟赵麟所画，后因王蒙罹难，藏者为惧受牵连，遂将上款中受者的姓名剜去。图从赵家散出后，明万历间为著名收藏家项元汴所得，稍后又归董其昌收藏。清乾隆时入宫中，后又从内府散出，曾经李宗瀚收藏，咸丰、同治年间，复归狄学耕收藏，后由其子狄平子转让给魏停云。现藏上海博物馆。

图纵140.6厘米，横42.2厘米，纸本，水墨。采用高远与平远相结合的方法描绘王蒙家乡卞（弁）山，山势巍峨雄奇，断崖险恶，溪水奔流，杂树壅塞，山林深处隐现茅屋数间，无路可循，确乎隐居的好地方，但已远非卞山的平缓秀美了。此时湖州正处于战乱之中，王蒙意造一个可供赵家避难的青卞山。此图无论是构图还是笔墨，都代表了王蒙的最高水准：山势重叠，曲折盘桓而上，宛如游龙腾飞，画语谓之“龙脉”，气贯势足，画面虽繁密而不塞迫；用笔上，兼用解索皴、披麻皴、牛毛皴、卷云皴等多种方法，使山石无论是结构还是组合，都显得变化多端，耐人寻味；用墨上干、湿、浓、淡并用，特别是干笔焦墨的擦和点，更增强了林木浓郁，苍苍莽莽的厚度，在元代画家中也为独创。明董其昌叹为观止，在诗塘上题曰“天下第一王叔明画”，下面又题：“‘笔精墨妙王右军，澄怀观道宗少文，王侯笔力能扛鼎，五百年来无此君’倪云林赞山樵诗也。此图神气淋漓，纵横潇洒，实为山樵第一得意山水，倪元镇退舍宜矣”。

我曾由此图入门元画：元画所用的皮纸，质地精密而不透水，可选用性能接近的矾纸来临摹。王蒙的画，层次极丰富，须先淡后浓，多次勾皴。但次数太多易结墨。我的经验是：先以淡墨勾廓后，直接用中间墨色勾、皴，然后向淡过渡，再蘸浓墨向焦墨过渡。一般山石勾、皴二、三次应已足。矾纸上“干笔皴擦”留下的线条松而灵动，尤其是焦墨擦笔，苍苍莽莽，意超象外，墨色通透而有厚度。

此图既有粗笔钝毫——似乎不见笔痕的山石钩皴以及焦墨擦、点，又有细笔尖锋勾勒的杂树枝干、松针，必须使用多种笔，不是一枝笔所能完成的。即使是似乎很粗犷的解索皴，其实也必须用锋颖很新的狼毫笔略带侧锋来完成，线条才松灵。笔锋稍钝，线条就硬结。细腻和粗犷在一幅画中结合得如此完美，这正是王蒙承继赵孟頫的一大特色。

不要依赖印刷品，要多去博物馆观摩原作，印刷品用满底的灰色油墨制造了原作的纸色，但你难以分辨何处是纸本色，何处染有墨色。见了真迹，这才恍然大悟，原来图上山石的受光面未加墨染，这样更能映衬出山石受光面的明亮，使山体更具立体感，与西洋画素描的处理方法异曲同工。

《具区林屋图》

《具区林屋图》

五代、北宋的山水画，是水墨画一统天下，北宋末的哲宗朝倡导“复古”，三百年前唐代的青绿重彩画复成时尚。但随着北宋的倾覆，绘画又回归水墨的故道。元代文人登上画坛，绘画渐成个人“寄兴游心”的笔墨游戏，水墨自是第一选择，但也渐渐加入色彩。然而并非青绿重彩，至多不过如赵孟頫那样的“小青绿”，更多采用的是一种淡彩，就是后人谓以黄公望为代表的“浅绛法”。“绛”者，赭色，“浅绛”就是一种在墨骨上敷以赭色为主的淡设色。“元四家”都有一些“浅绛”设色的画传世，大多再加入一点“花青”或“汁绿”色。然而王蒙用的色，则比较特别，有单敷赭色的《春山读书图》，也有再加以“花青”、“藤黄”及“朱磦”、“朱砂”色的。

《具区林屋图》即其一，纵68.7厘米，横42.5厘米，纸本，设色。现藏台北故宫博物院。“具区”，是太湖的古称。图绘太湖边林木屋舍的秋景。构图有些不同寻常，不再是宋元画常见的“全景式”，而是见地而不见天的局部“取景式”。在王蒙传世作品中唯有《溪山高逸图》相似。画中溪水从山谷中流下，河道曲折，水波涌起，一童撑篙驾小舟泛其中。画下是一角坡岸，横竖密集地栽种了八棵树，枝叶茂密，或浓墨点叶，或双勾填以“朱磦”、“朱砂”色。对岸河畔有水榭茅舍，一士人展卷读书。岸上是“瘦”、“透”、“漏”的太湖石，奇形怪状，玲珑剔透。山坡上和山谷中丹枫翠柏，绚烂掩映。坡后有小道沿山石盘桓而上，有山人下山而来。数间茅屋坐落谷中，廊房、屋舍中村妇及侍女或凭栏眺望，或忙碌家务。人与人，人与自然和谐相处，画的是老百姓极其平凡的日常生活。画面满塞的是参差错落的山石和河道，只留下右上角一小块水波以示太湖。看上去似乎非常拥塞，但高明的中国山水画家运用山石组合的“脉理”，巧妙经营，山石间相互呼应、揖让，虚实相生，疏密互补，山路曲折，贯穿其间，又有河道透出空间，使画面依然散发出宋代“全景山水”固有的“可行、可望、可游、可居”的大气息。全图的勾、皴密集，墨色浓郁，山石上普染淡赭色，而在树干、茅屋的栏杆、屋顶茅草上罩深赭色，已经具备“浅绛”设色的特点，但又在双勾枫叶中填入“朱磦”、“朱砂”色，更在“朱磦”色中和入“藤黄”色，使画面中的丹枫鲜艳明亮。这是非常大胆的用色，体现出王蒙勇于尝试的创新精神。同样的用色方法，在王蒙的《太白山图》卷中也有相似的尝试，形成王蒙的独特风格。

在此图上的诗塘里，有明董其昌的两段题文，其一谓：“具区林屋，人间有数轴，此其真迹也。”历史上有人疑惑此图曾被裁割，但至今无据。

《秋山草堂图》

《秋山草堂图》

五代、宋的山水画，崇尚水墨，故巨然的《秋山问道图》以水墨画秋山，极尽空寂幽秘的禅意，但也似乎少了点秋色的瑰丽绚烂、爽落深邃的天趣。元代渐兴浅绛淡彩，在墨骨上薄敷赭石、花青等色，依然淡雅秀逸，而王蒙的《秋山草堂图》则别具一格。

《秋山草堂图》纵123.3厘米，横54.8厘米，纸本，浅设色，现藏台北故宫博物院。图绘秋山水岸，岸边芦荻萧瑟，临水的草亭前有人支网捕鱼；秋山林木茂密，红叶绚烂，有茅屋草堂掩映其间，茅屋中有村妇劳作，稚童戏嘻，而草堂上则有高士踞坐塌上展卷阅读，一派祥和的生活场景。水面辽阔，山不高，连绵起伏，典型的江南丘陵景色。以浓墨干笔勾皴，已是元画的特色。树叶或作点叶，或作勾圈夹叶，墨笔点叶上普罩赭色，而夹叶中先敷赭色，然后用薄朱砂色由淡而浓积染，使树叶的朱砂色有明显的浓淡变化，突现树叶的立体感和层次感，而不是简单的平涂。土石和丛树边，是密密的湿笔墨点，然后用淡朱砂色复点，这方法同样应用于水边的荻花的复勾上，使画面上几乎铺满浓淡变化的朱砂色点，渲染出浓重的秋意。朱砂色，这似乎是中国画特有的红色，它不如大红色的浓烈，也没有朱磦色的亮丽，但却透出沉穆野逸的古艳。这样的点染方法，还见于王蒙的《具区林屋图》、《太白山图》中，画面艳而不俗，在浅绛设色中独具一格，极具王蒙的个人特色。

王蒙传世的画中，以“草堂”为名的有《东山草堂图》、《西山草堂图》和《秋山草堂图》等。在画中，除了寺庙，如《太白山图》中的宁波天童寺画的屋脊斗拱，他画的民居，几乎一色的是草屋。这是元代文人隐居山林的真实生活的写照。元代受异族统治，汉族文人不受重视，王蒙虽也曾做过一个闲官——“理问”，但在当时农民起义风起云涌之际，他抛弃了这个官，携妻张氏隐居于杭州东北的黄鹤山，长达二十多年，过的就是芒鞋竹杖、卧云望山的清贫生活。他名其屋为“白莲精舍”，自号“黄鹤山樵”，览云观山，师法造化，又时而下山，往来于黄公望、吴镇、倪瓒及文人高士间，画风渐变。观其后期的《青卞隐居图》、《林泉清集图》及《夏日山居图》等，从其反复皴、擦、染形成的明暗光感，以及独特的焦墨擦笔体现的近实远虚的透视感，将宋代绘画的写实精神以及元代绘画的写意意识推进到一个更接近事理的高度。这一切变化，得益于王蒙数十年处身于山水之中，不断地观察、写生、修炼，才臻此化境。

《林泉清集图》

张大千 21 岁时在上海收藏家狄平子家见到王蒙《青卞隐居图》真迹，便被王蒙那沉雄苍厚的笔墨、几近龙脉起伏的山势深深吸引，及至后来在友人胡冷庵处见到王蒙的《林泉清集图》，不禁为之痴迷醉梦，迫不及待地借来临摹了二本。大千自谓“胸中有王蒙”。据大千在 1946 年夏的临本上所题：“山樵为文敏之甥，故能酷似其舅，细观用笔，全学王右丞。若不远师古人，曷能近似文敏也！”文敏指赵孟頫（稍加说明，王蒙应是赵孟頫的外孙，而非外甥）。我们今天依然可以看到明董其昌、清王石谷的《林泉清集图》的临本，被他们奉为宋元山水画的精典，可知此图在历史上的重要地位。1950 年初，大千又临了一本，并在图上自题：“吾友胡冷庵……知予酷好山樵，遂举以为赠，南北东西携在行笈。”

据画上王蒙自题：“林泉清集。至正廿七年暮春，黄鹤山人王子蒙为士文画于吴门兵舍”。那么应该是晚《青卞隐居图》一年之作。依现在我们所能见到的王蒙的真迹，这两幅作品加上《夏日山居图》，应该是王蒙晚年无论笔墨还是章法最为成熟的三件水墨作品。

画面是典型的王蒙的“长松高岭”式布局，下面 7 棵高大的松树几乎遮去了半张画面，溪畔土坡上有茅屋 4 间，屋前有三士人相集，饮酒赋诗，旁有一鹤起舞，二侍童行走于侧；一士人在屋内伏案读书，还有一士人坐于松下溪畔；而后屋则坐一妇人，一婢侍旁，9 个人各事其事；画面上部是高山峻岭，盘桓曲折，一泉于危岩间奔突，而后如一条白练泻下，人与自然是如此的融洽和谐。

此图充分地展现了王蒙的绘画个性。与元四家的其他三人相比，人皆谓王蒙是以“繁”、“密”为特点。依我的体会，在“尚意”的文人画家中，在“文人气质”和“画家气质”两者中，王蒙似乎更偏重于“画家气质”，更追求技术上和构成上的完美。你看画中的 9 个人，虽小不盈寸，但冠冕发式，五官俱全，坐立行走，各有姿态；看松树，树皮如龙鳞，枝干穿插，针叶茂密，看房舍，屋顶上茅草层层迭加，窗、布幔、扶手、台阶，无不精细；山石以解索皴钩画出结构层次，又以焦墨皴擦彰显草木之郁茂，悬泉下的丛树，在一棵点叶树旁，又刻意画了一棵钩叶树。我们纵观王蒙一生山水画作品中的人物，虽然有时在图中也仅是点缀，但仍可看出王蒙总是努力于深入刻画，以显现不同人物的性别、年龄、甚至表情、动态。比较其他三位画家：倪云林画中从不见人，吴镇与黄公望画中偶尔见人，也大多画得非常简约。这让我感悟到：原来“文人画”是可以有多种表现形式的，不必拘泥于一格。

《春山读书图》

元代画家王蒙传世的作品有几十件，但可以确认为其所作的，不过十余件。其中大多为纸本，也有少量几件是绢本的。绢本利于湿笔勾、皴、点、染，王蒙的代表作有《夏山高隐图》，犹存五代董、巨遗韵；而纸本则利于干笔皴擦，尤其是王蒙后期的作品，连皴带擦，苍莽华滋，意超象外，直入化境，标志着元代绘画的极高成就，其中称得上其精品力作的，乃《青卞隐居图》、《夏日山居图》及《林泉清集图》，都为水墨山水。

但王蒙其他的作品，则多上色，而且有其个人鲜明的用色特点。元代承继了宋代水墨山水的传统，但开始探索在水墨山水之上着色的新路，于是有了小青绿山水的发展，然而青绿石色的艳丽，无疑冲淡了水墨画的清雅，黄公望等画家便尝试运用赭石和花青色上淡彩，后人称之为浅绛山水。而王蒙的着色，变化多端，并不局限于赭石、花青色，更善于溶入藤黄和朱砂色，如《具区林屋图》、《秋山草堂图》、《太白山图》等，使景色更显明艳。有时还随类敷彩，如《花溪渔隐图》中更点缀挑花艳丽的桃红色。

而《春山读书图》则较为别致。图为纸本，纵 133.4 厘米，横 55.5 厘米。构图为王蒙典型的长松高岭格局，下方土岗及屋后耸立着五棵巨松，枝干倔铁，鳞皴龟裂，松针则以细笔由下向上勾剔，层层叠叠，形如卷云，已是元人画法。屋内有一生徒在读书，而岗阜的右边是水，近处有一水亭，主人与客并排端坐，小童侍后，似在观赏春景。而水之远处，深入山谷，有一屋，内有一人似在劳作。图的上方是两座山峦，簇拥着一峰高耸，山头又是王蒙画中常见的拳头状，山石施以其老成的解索皴，极其恰当地展示了南方土石山的构成。山头及坡顶密布丛点，以点带擦，干笔与湿笔交融，郁郁葱葱，一派生机勃勃的春山景象。整幅画以水墨为底，仅在树干、茅草、木质窗櫺、栏杆及人物肤色等处着赭石色，不再有其他色，显得极为别致。我们似乎已经习惯于以赭石、花青为浅绛山水的基本用色了，“绛”者，红色，赭石为土红色，浅绛山水就是指以赭石色为主的浅设色山水画。而《春山读书图》的单着赭石色，应是浅绛山水画的古制。在墨与色的进、退之争中，色越丰富则笔墨渐失。我在绘画实践中体会到，如果想更多地保留水墨山水画的笔墨情趣，则这种在墨骨上仅局部着赭石色的方法，别具一种古雅之美。

《春山读书图》未具年款，但看其创作风格及笔墨的老成，应当是他后期的作品。我们现在能见到的王蒙的最后的作品，是 1368 年的《夏日山居图》，但王蒙逝于 1385 年，还活了 17 年，故而难以称作他晚年的作品，我在此姑以“后期作品”称之。王蒙晚年的作品，恐怕永远只能是一个迷了。

《夏山隐居图》

《夏山隐居图》

时至“立夏”，古来画家多有以“夏”为题的画。元代画家王蒙，虽然传世的画不过20件左右，却也有三幅画以“夏”为题：《夏日山居图》、《夏山高隐图》和《夏山隐居图》。

《夏山隐居图》纵56.8厘米，横34.2厘米，绢本，浅设色，现藏美国佛利尔美术馆。图下方半是湖水半是岸，上方一峰耸峙，群山环绕，远岫隐约。山间林木浓郁，应是盛夏时节。近处水岸有茅屋数间，又有亭榭延伸水面，有妇、婢休憩其中，而一条板桥连岸水渚，一士人钓鱼而归。一派平淡然而优哉游哉的生活场景。远处山谷坡地上坐落不少茅屋，与天、地、山、水融洽一体。图上王蒙自题：“至正甲午暮春吴兴王蒙为仲方县尹作夏山隐居”，时王蒙47岁。

元代广泛使用纸作画本，纸利于皴、擦，线条毛糙松秀，苍茫空灵，意蕴万象，故元代绘画有“干笔皴擦”的笔墨特色。王蒙的作品也大多用纸，而用绢作画本的仅有三件，其他两件是《溪山高逸图》和《夏山高隐图》。绢是唐、宋时期绘画广泛使用的画本，适宜于湿笔勾、皴、染，线条扎实坚挺，运笔轨迹可循，塑造的物象清晰饱满。以山水画而言，无论是北宋李成、郭熙开创的笔势坚韧爽利，墨法明洁精微的“鬼脸石”、“蟹爪树”画风，还是南宋李唐开创而其徒马远、夏圭更为发展的爽利简括的“斧劈皴”画风，都极其适合在绢本上作画。而王蒙身处乱世，为抒写其归隐山林的心境，还是选择了五代的董源、巨然的画风。王蒙出生于浙江湖州、北临太湖的青卞（弁）山下，中年又在杭州东北余杭临平的黄鹤山中隐居20多年，南方的丘陵土复石隐，林泉茂密，适合用董源、巨然的“披麻皴”来表现。而披麻皴的平淡、松秀、似乎更契合元代文人“寄兴游心”、“写胸中之逸气”的心结。从《夏山隐居图》看，当时王蒙对于董巨画风的运用，湿笔的勾、皴，点、染已经相当的成熟，应该是王蒙中年的精品。但王蒙似乎更钟情于纸本，他在纸上发展了干笔皴、擦的技能，尤其是发展了浓墨擦笔的运用，使画面的墨色更丰富，更苍莽雄秀。他60岁时画的《青卞隐居图》可谓纸本水墨的登峰造极之作。

欣赏王蒙的《夏山隐居图》，不能忘记一个人：张大千。他在20世纪40年代，曾收藏了这幅画。1947年秋日，他在四川成都昭觉寺对临了一幅，并在临画上题记：“（此图）幽微淡远，绝去平日蹊径。青卞隐居、林泉清集二图外，无逾于此者。”1959年，王蒙《夏山隐居图》为美国佛利尔美术馆购藏。

《溪山高逸图》

《溪山高逸图》

王蒙传世的画，不过十余件，而以绢作画本的仅三件，其中一件就是《溪山高逸图》，纵113.7厘米，横65.3厘米，设色，现藏台北故宫博物院。

传世的宋以前的画，很多出自宫廷、贵族，几乎都用珍贵的绢作画本，但从元代开始，随着普通文人入主画坛，渐渐改用纸本。绢本利于勾勒、渲染，而纸本较毛，笔墨稍干则易留下枯涩、断续的点和线，形成元代绘画“干笔皴擦”的笔墨特点。这似乎十分适合表达文人心仪的平淡、率意、洒脱、空灵的境界，于是中国山水画的技法升华到一个新的高度。然而，后代画家如有意仿宋前的画意，也往往会依旧选用绢作画本。

《溪山高逸图》以见地不见天的“取景式”作构图，这在王蒙传世的画中，也只有《具区林屋图》相似。图绘群山耸峙，松柏怀抱之中，有山泉拾级而下，数间茅屋排列溪旁，一高士坐于堂上抚琴，小童伫立其旁，堂前空地上有仙鹤起舞，而溪桥上正有一客来访。情景幽雅，超尘脱俗。图右上王蒙自题：“叔明王蒙为菊窗琴友制图”。知图中所绘，应是王蒙的琴友菊窗，那么远道而来的，莫非王蒙欤?

与王蒙其他纸本的画相比较，这幅画的用笔较湿、较实，特别精细，无论是松树针叶及树身的勾、皴，柏树的点叶，其他杂树枝叶的双勾，还是山石的解索皴、苔点，溪水的涟漪，都刻画得极其密集、精细。全图以赭色为主，略施淡淡的墨青，经墨色的层层渲染，显得质感雄厚，笔墨苍秀。王蒙自小得到外公赵孟頫的教诲，博学广取，深悟宋人绘画之精髓，故其选用绢作画本以加深笔墨的刻画，也就顺乎情理了。

一些初学王蒙者，如选《青卞隐居图》作范本，常会困惑其勾皴笔墨之变幻灵动，殊难入手。《青卞隐居图》乃王蒙后期纸本水墨山水画之精品，笔墨老辣苍莽，意超象外，初学甚难循其迹。前人也有感于此，故有画论以为初学王蒙，宜从《溪山高逸图》入手。此图用湿笔在绢上反复勾皴渲染，其颇具个性的“牛毛皴”、“解索皴”，灵动而又凝重，笔墨清晰，有迹可循，深得历代画家的赞赏。明人董孝初题画云：“叔明此图，昔人评为第一，非浪语也。笔法之妙，布置之奇，如韩淮将兵，多多益办。……苍古秀润，沉雄浑厚，殆兼之矣。”这样的见地不见天的构图，似乎不合王蒙大多作品的“全景式”，于是又有原图被人裁割之说。然而后人却也从中感悟出现代的构图理念，其实早已孕育于古人的画中。古代绘画的章法讲究脉理，所谓“龙脉”，溪泉树石的组合，有其相互的规则，如果割取全图中的一部分，可能就是一幅很“现代”的画。

2	1
4	3
6	5
8	7

《溪山风雨图》册

《溪山风雨图》册

元代画家王蒙传世的画，文字记载有数十件，但至今为各界公认为真迹的，不过十多件，大体为卷轴画，只有一件——《溪山风雨图》是册页。1997年曾由广西美术出版社影印出版，但似乎影响未广。

《溪山风雨图》册共10开，每开纵28.3厘米，横40.5厘米，纸本，墨笔，现藏北京故宫博物院。最后一开上自题：“吴兴王蒙作溪山风雨图”。无年款，但从各图的风格上看，纵跨五代、宋，应该是王蒙比较早期的拟古作品。虽说尚未体现王蒙个人画风成熟时期的密实、苍茫，然而笔墨上已经初现元代绘画的旷达、率意。王蒙是赵孟頫的外孙，而赵孟頫是宋末元初承前启后，开创“书画一体”、纸本“干笔皴擦”的元代文人画风的一代宗师。王蒙幼承家学，曾经临摹过大量的五代、宋的画，打下了深厚的绘画基础。

图1山体圆浑，多“矾头”，长披麻皴，密集的浓墨点，展现的是五代董源、巨然的画风。有风雨自右边袭来，树的枝叶摇曳，向左边倾倒，江水皱起涟漪，波纹勾画细密工致，一笔不苟，犹存唐人遗韵。

图4枯木竹石，前面的枯树，枝干交柯，老根盘结，枝头的小枝弯曲劲挺，充满张力，犹似宋画的“鹿角法”。而后面的丛竹，枝叶挺拔向上，一笔掠去，谓之“晴竹”，乃北宋画家文同首创，与元人柯九思、赵孟頫夫妇画竹，枝叶弯曲下垂大相径庭的。

图5云山图，完全是北宋米芾父子所创的“米氏云山”的格局。云雾蒸腾，林木掩映，远岫苍茫，万壑空寂，这正是文人画家追求的禅意境界。

图8右边的三株松树高耸挺拔，枝干虬曲，松叶攒针。“攒针松”乃北宋李成所创，而风弥北宋，成为宋画的标志之一。画中间的枯树枝干线条弧曲遒劲，则又是师李成的北宋画家郭熙的模式，在其《早春图》中有出色的描绘。

看上述四图，就了解王蒙曾广泛地学习五代、宋的优秀传统，故在“元四家”中他的绘画技术最为完备。难能可贵的是，他在“师古人”的同时“师造化”，不断地写生和感受，故能融汇古今，意超象外，开创其独特的雄浑苍莽、元气磅礴的绘画风格，让后之学者“莫能窥其涯涘”。

10 | 9

《东山草堂图》

:山萧寺图》

《葛稚川移居图》

《太白山图》

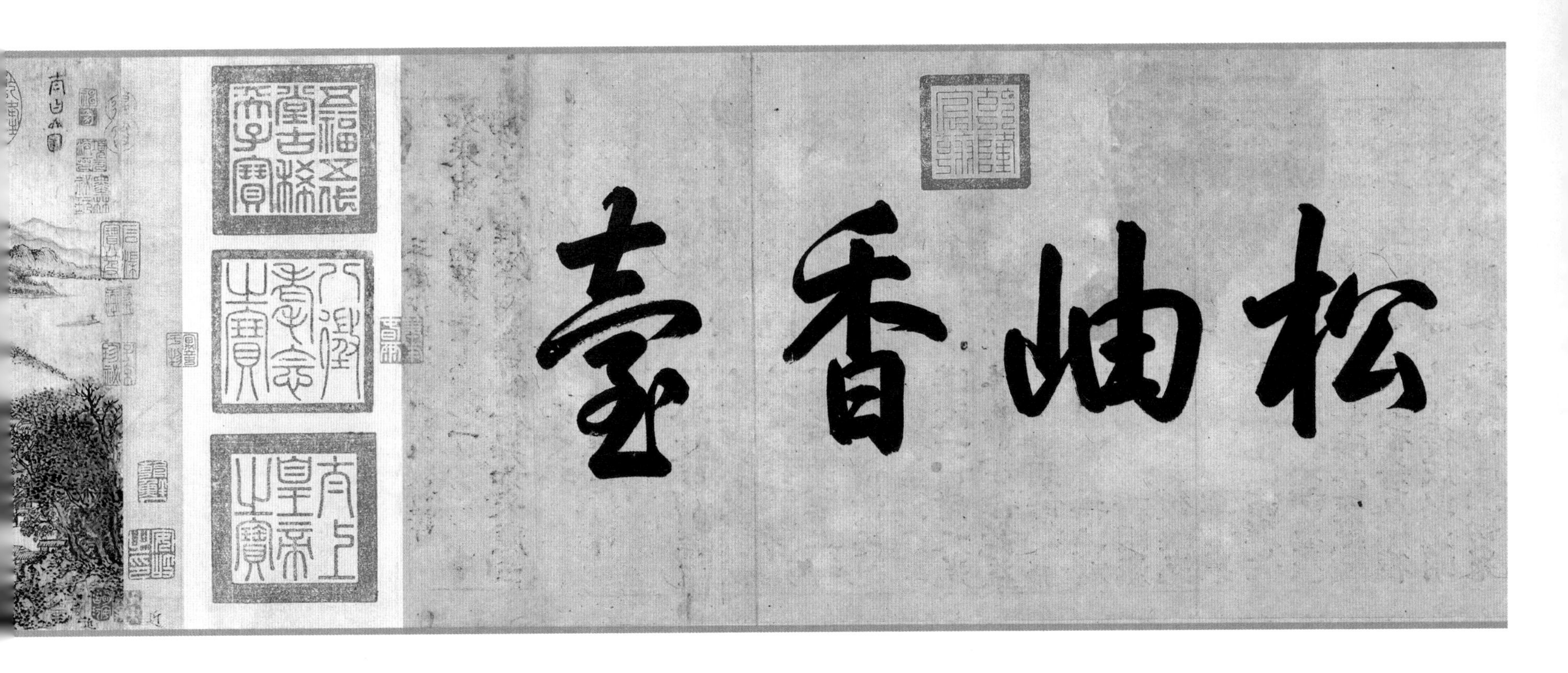
松岫香臺

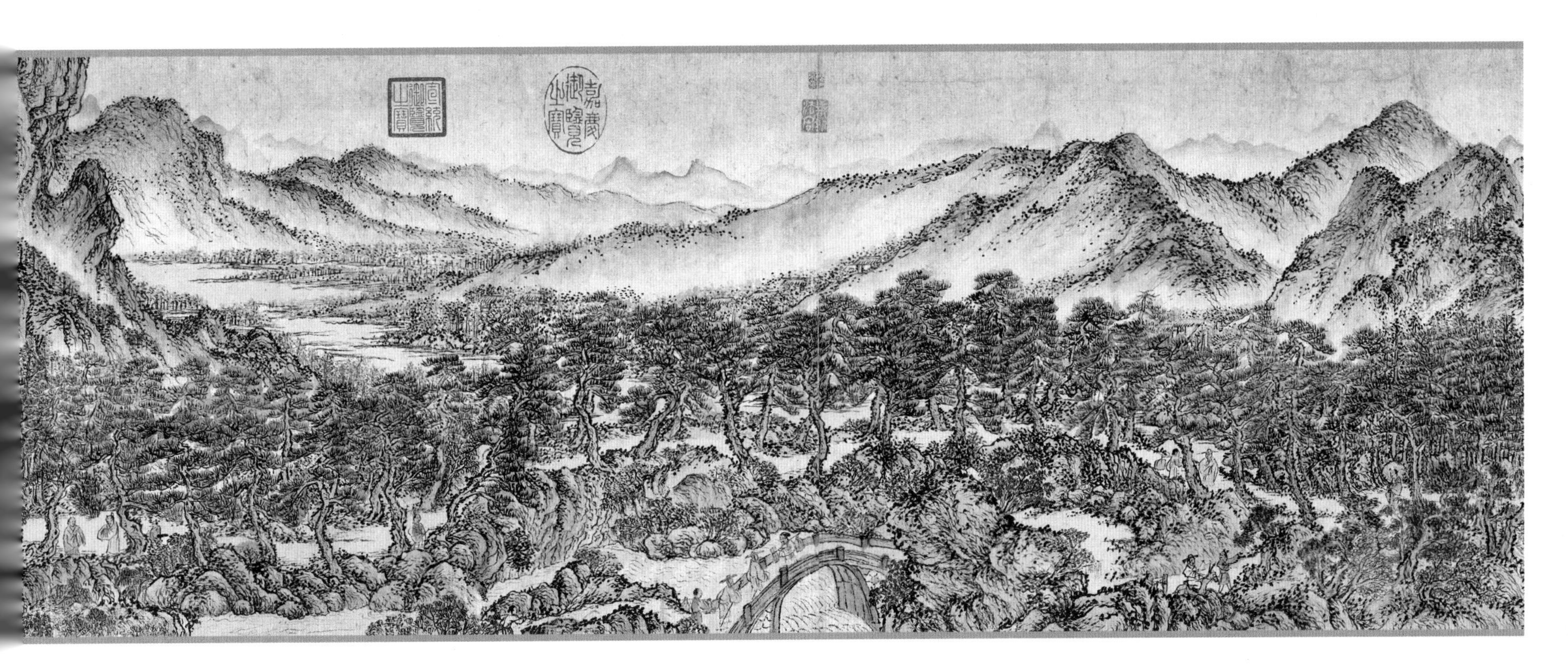

《西郊草堂图》